Kunst en Wiskunde

verwondering en verbeelding

Bruno Ernst en Ton Konings

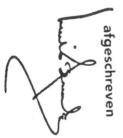

Epsilon Uitgaven
in samenwerking met de
Nederlandse Vereniging van Wiskundeleraren

De Zebra-reeks is bedoeld voor leerlingen van het VWO en daarnaast voor alle anderen die belangstelling hebben voor wiskunde en wiskundige toepassingen. Epsilon Uitgaven beoogt het tot stand brengen en verspreiden van wetenschappelijke studieboeken in de Nederlandse taal.

REDACTIE
Gunther Cornelissen, Universiteit Utrecht.
Swier Garst, R.S.G. Goeree en Overflakkee, Middelharnis.
Geertje Hek, Universiteit van Amsterdam.
Peter Kop (voorzitter), GSG Leo Vroman, Gouda, Iclon, RULeiden.
Floor van Lamoen, Ostrea Lyceum, Goes.
Gerard Stroomer, Liemers College, Zevenaar.
Ferdinand Verhulst, Universiteit Utrecht.
Carolien Boss-Reus (eindredactie).

© Epsilon Uitgaven, Utrecht 2008.
Omslag: Kok Vormgeving, Utrecht.
Omslagfiguur: José Konings, foto door Ton Konings
Druk: Labor Grafimedia B.V., Utrecht.

Gegevens Koninklijke Bibliotheek, Den Haag.

Ernst, Bruno
Kunst en Wiskunde
Epsilon Uitgaven; Zebra-reeks nr. 27
Jaar: 2008
ISBN 978-90-5041-101-1
NUR 122

Voorwoord

Dit zebra-boekje gaat over het raakvlak van wiskunde en kunst: het gaat over "mooie dingen", die interessant zijn en aanzetten tot wiskundige activiteiten.

Daarbij beperken we ons tot de beeldende kunst en dan is de wiskunde voornamelijk meetkundig van aard. Bedoeling is bij de lezers in het kijken naar kunst "verwondering" te wekken en ze via eigen producties iets te laten "verbeelden".

We proberen het raakvlak enigszins authentiek te houden, waarmee we bedoelen dat de wiskunde niet met de haren bij de aangehaalde kunst gesleept moet worden, en ook niet omgekeerd.

Het boekje bevat een aantal tamelijk gesloten opgaven, waarmee de lezer tot wiskundige activiteiten wordt gestimuleerd. Daarvan zijn enige antwoorden op de site van Epsilon te vinden. Ook zijn er opdrachten die de lezer kunnen stimuleren tot eigen wiskundige activiteiten, tot verder zoeken van informatie en tot eigen producties.

Wij richten ons enerzijds op de individuele leerling/ lezer die het boekje doorneemt, een aantal opgaven maakt, aanvullende informatie zoekt en bij een enkele opdracht een werkstuk, presentatie en een al dan niet kunstzinnig product maakt.

Omdat je dit oppervlakkig en ook heel intensief kunt doen, dienen begeleidende docenten een tijdsindicatie en de wijze waarop opgaven en een selectie van opdrachten gedaan moeten worden, te geven. Ook kunnen leerlingen na het maken van opgaven, een plan voor het uitvoeren van opdrachten met de docent bespreken.

Anderzijds lijkt het boekje ons bruikbaar bij projecten en activiteitendagen binnen een school, waarbij de opgaven en opdrachten over een groep verdeeld worden en de deelnemers individueel of in kleine groepjes samen een "tentoonstelling" maken. Samenwerking met de kunstvakken is aanbevolen.

De voorkennis nodig voor dit boekje is niet meer dan wat in 3 vwo behandeld is, tenzij dat bij een opgave anders vermeld is.

Het eerste hoofdstuk geeft enige beschouwing over de relaties tussen wiskunde en kunst. De volgende zes hoofdstukken behandelen elk een onderwerp, waarbij telkens kunstwerken het startpunt zijn, er enige analyse plaatsvindt en geëindigd wordt met een opdracht die aanzet tot eigen producties. Het laatste hoofdstuk draagt nog een aantal onderwerpen aan waarmee de lezer via zoeken op Internet zelf zijn materiaal kan verzamelen.

Inhoudsopgave

1 Wiskunde, kunst en schoonheid

Als je door dit boekje bladert, krijg je een eerste indruk van waar het over gaat.
Wat wiskunde is, kun je niet eenvoudig definiëren. Met kunst wordt dat nog veel moeilijker, ook al beperken we hier het begrip tot "beeldende kunst". Wat valt dan onder "wiskunst", het raakvlak van wiskunde en kunst?

1.1 Wat is kunst?

Wat de een kunst noemt vindt de ander stom vervelend en belachelijk.
Hiernaast zie je het schilderij met de titel *"Who's afraid of red, yellow & blue"* van Barnett Newman, gemaakt in 1957.
Een effen rood vlak met een paar strepen. Er is ooit met een stanleymes een aanslag op het kunstwerk gepleegd. Vind je dit schilderij kunst? En wat denk je bijvoorbeeld van een hoop zand in een verder volkomen lege museumzaal?
We wagen ons dan ook niet aan een omschrijving. Het is interessanter om te laten zien hoe tijdgebonden het begrip kunst is.

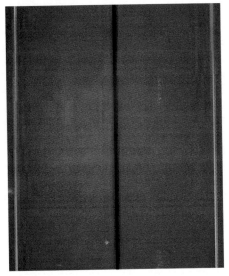

Natuurgetrouwheid
Van de grote Griekse schilders uit de oudheid is geen enkel werk bewaard gebleven, maar wèl enige verhalen erover van de Romeinse schrijver Plinius (eerste eeuw na Chr.) Hier volgt er een:
Het verhaal luidt dat de kunstschilders Parrhasios en Zeuxis een wedstrijd hielden: Zeuxis kwam met een schilderij dat druiven voorstelde, zo natuurgetrouw geschilderd dat de vogels erop afkwamen. Parrhasios toonde toen een schilderij van een linnen doek, zo bedrieglijk natuurlijk, dat Zeuxis -- nog vol trots over het oordeel van de vogels -- eiste dat nu eindelijk dat doek eens zou weggenomen worden en het schilderij getoond. Toen hij zijn dwaling bemerkte, kende hij met oprechte schaamte de prijs aan de ander toe; hij immers had vogels misleid, maar Parrhasios hem, een schilder.

5

De sterke nadruk op de natuurgetrouwheid van kunstwerken, die de antieken zo bewonderden, heeft lang doorgewerkt. Het was de rode draad die tot laat in de negentiende eeuw in de beoefening van de beeldende kunst te volgen is.

Was er in die lange periode dan geen relatie tussen kunst en wiskunde?

Zeker wel! We zouden zelfs kunnen stellen dat de wiskunde na ca.1425 de schilderkunst en de grafische kunst in een soort wurggreep gehouden heeft. Dat kwam door de uitvinding van de perspectief (een meer wiskundige benaming zou zijn: de centrale projectie) om de ruimte af te beelden. Men ging de perspectief beschouwen als de meest natuurlijke en exacte methode voor het afbeelden van de derde dimensie. We weten nu, dat dit niet waar is: er zijn meerdere manieren om de ruimte zo in beeld te brengen dat ze overeenkomt met onze ervaring van de ruimte. Bijvoorbeeld voldoet de scheve parallelprojectie die je in de traditionele Chinese schilderkunst veel aantreft ook goed. Maar de tekenaars en schilders zijn eeuwenlang in een keurslijf gedwongen. Als hun ruimte-uitbeelding niet voldeed aan de regels van de perspectief, was het werk niet natuurgetrouw en werd het niet gewaardeerd.

De intensieve studie van de perspectief zorgde voor vele honderden verhandelingen over dit onderwerp en leverde ook de wiskunde een prachtig nieuw hoofdstuk op: de projectieve meetkunde.

Investering van tijd

Een veel verbreid misverstand is dat een schilderij, ets, houtsnede of tekening mooier of waardevoller zou zijn, naarmate de kunstenaar er meer tijd ingestoken heeft. Dat is echter heel betrekkelijk. De bekende graficus M.C. Escher besteedde veel meer tijd aan het bedenken van zijn prenten, dan aan de uitvoering zelf. De tijd die gestoken wordt in de uitvoering is geen criterium voor de kwaliteit van een kunstwerk.

Een heel mooie illustratie daarvan is een legende die over de geniale Japanse prentkunstenaar Hokusai verteld wordt.

Hokusai leefde van 1760 tot 1849. Hieronder is een van zijn bekendste prenten gereproduceerd: "De grote golf". Een woedende zee, angstige mensen in hun boten en in de verte de beroemde Japanse berg met zijn besneeuwde top: de Fuji.

Even tussendoor: de stilering van Hokusai's golf is heel bijzonder. De schuimkoppen zijn opgebouwd uit vrijwel dezelfde grondvormen als de grote golf en de afsplitsingen zijn weer een herhaling daarvan op nog kleinere schaal: zelf gelijkvormige figuren (self similarity) die we bijvoorbeeld ook in fractals van Mandelbrot terugvinden.

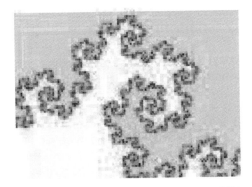

Nu het verhaal: De Haan

Een rijke fabrikant wilde een nieuw logo voor zijn producten. Een betere schilder dan Hokusai was er niet en daarom bezocht hij de grote meester in zijn atelier.

Na veel plichtplegingen kwamen ze ter zake; Hokusai moest een haan voor hem schilderen, zo prachtig en sprankelend als er nog nooit een geschilderd was. Geld speelde geen rol. Toen hij het bedrag van Hokusai hoorde, schrok hij wel even. Maar hij was rijk genoeg en Hokusai was beroemd genoeg. "Wanneer is het klaar?" Hokusai zei dat hij over een maand maar eens terug moest komen. Dit bezoek bleek tevergeefs: nog geen haan. Hokusai zei dat hij er nog aan werkte, zonder echter iets van het werk te tonen.

Zo werd de fabrikant meer dan een jaar aan het lijntje gehouden. De opdrachtgever had de hoop al opgegeven dat de haan, waarvan hij zich zoveel had voorgesteld, ooit klaar zou komen.

Tot zijn verbazing werd hij op een dag door Hokusai uitgenodigd om zijn haan op te komen halen. Vol verwachting betrad hij het atelier van de beroemde kunstenaar. Hij keek rond, maar zag geen haan. "Waar is hij?" Hokusai zei niets, nam een groot vel papier, zette penselen en verf klaar, en schilderde met snelle streken een haan zó indrukwekkend, dat de fabrikant het resultaat ademloos bewonderde. "Dat is ongelofelijk prachtig, maar is de prijs niet al te hoog voor nog geen tien minuten schilderwerk?"

Hokusai keek hem lang en strak in de ogen, draaide zich om en liep naar een kast. Hij haalde er een grote stapel tekenvellen uit en spreidde ze uit over de grond: meer dan honderd gepenseelde hanen! "Meer dan een jaar heb ik bijna elke dag voor U gewerkt, tot ik er vandaag klaar voor was om de haan te schilderen die U nu zo bewondert."

Trek zelf maar je conclusie uit dit verhaal.

Kunst wordt vaak met schoonheid geassocieerd. Dit is overigens, zeker in de moderne kunst, niet noodzakelijk. Maar ook kun je spreken over de schoonheid in de wiskunde. Daarover gaat de volgende paragraaf.

1.2 Schoonheid in de wiskunde

Wiskundigen hebben het graag over een fraai bewijs, een interessant bewijs, een verrassend bewijs, etcetera. Dat zijn eerder uitspraken die men over een kunstwerk verwacht. Als een bewijs kort is en verrassend eenvoudig, is het in ieder geval een fraai bewijs. Dat "kort en eenvoudig" moet natuurlijk worden gezien in het licht van de moeilijkheidsgraad van de stelling. We zullen hier een voorbeeld geven van zulke schoonheid in de elementaire wiskunde.

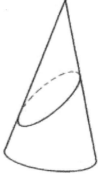

Als je aan een niet wiskundig geschoolde, maar wel nieuwsgierige, de figuur dat hiernaast staat, laat zien (een kegel die schuin is doorgesneden) en beweert dat zo'n schuine doorsnede altijd een ellips is, zal hij of zij na enig nadenken wellicht opmerken dat dit niet kan. En bij de vraag: "waarom niet?", zal het antwoord zijn: "als je heel dichtbij de top vande kegel begint te snijden, wordt die kant van de doorsnede puntiger is dan de andere kant. Je krijgt dan een eivormige doorsnede."

Albrecht Dürer (1471 - 1528), een beroemde Duitse kunstenaar, die vrij goed thuis was in de wiskunde van zijn tijd, dacht er ook zo over. Hij tekent de kegelsnede duidelijk eivormig (zie figuur rechts).

Laten we even de omschrijving van een ellips geven (zie onderstaand figuur). Zet twee punaises in een stuk karton op 4 cm van elkaar. Knoop van een touwtje van 10 cm de uiteinden aan elkaar. Leg het touwtje om de punaises en hopudt het met een potloodpunt strak. Als we de potloodpunt bewegen onstaat een ellips. Het is duidelijk dat dan op elk punt van de figuur die zo ontstaat de som van de afstanden ($r_1 + r_2$) tot de vaste punten F_1 en F_2 constant is. Deze punten noemen we de brandpunten van de ellips.

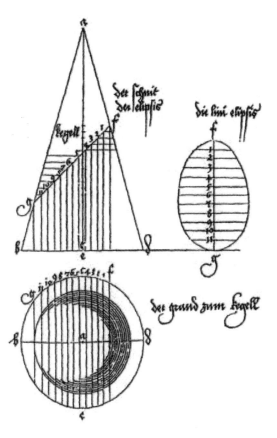

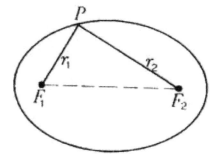

Het gaat er nu om dat we bewijzen dat de bovengenoemde kegelsnede zo'n ellips is. Dat kan op verschillende manieren, maar geen is er zo doorzichtig en fraai als die van de Belgische ingenieur Dandelin (1794 - 1847); en hij gebruikte daarvoor stellingen die een niet-wiskundige zonde meer plausibel voorkomen.

9

In de figuur hiernaast wordt het hele verhaal verteld. Als we de ovale doorsnede in deze figuur bekijken, dan zien we dat boven in de kegel een bol is aangebracht die het vlak vande doorsnede in F_1 raakt en die tegelijkertijd raakt aan de kegelmantel. De raaklijn van de bol met de kegelmantel is een cirkel (a). Tegen de onderkant van het snijvlak is eveneens een bol aangebracht, die het snijvlak in F_2 en de kegelmantel volgens de cirkel b raakt. Beide cirkels zijn evenwijdig en liggen op de kegelmantel overal even ver van elkaar.

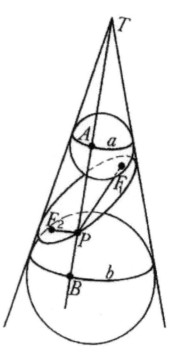

Nu nemen we een willekeurig punt P van de kegelsnede en treken de lijn TP. TP snijdt de cirkels a en b in de punten A en B. PF$_1$ en PA zijn raaklijnen vanuit één punt aan de bovenste bol en daarom zijn ze even lang. Met andere woorden PF$_1$ = PA. Htezelfde geldt voor PF$_2$ en PB die raaklijnen zijn aan de onderste bol. Dus PF$_2$ = PB. Hieruit volgt dat PF$_1$ + PF$_2$ = PA + PB en dat is juist de afstand van lijnen op de kegelmantel tussen de beide cirkels a en b.

De eindconclusie is dat PF$_1$ + PF$_2$ voor elk punt van de snijkromme gelijk is. En zo voldoet de snijkromme inderdaad aande omschrijving van de ellips zoals we die eerder hebben gegeven.

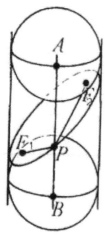

Met behulp van de linker figuur is vervolgens gemakkelijk aan te tonen dat de schuine doorsnede van een cilinder ook een ellips is.

Deze paragraaf is eerder verschenen in Arthesis.

1.3 Kunst en wiskunde

Met een aantal voorbeelden willen we laten zien welke relaties je tussen kunst en wiskunde zou kunnen leggen.

Wiskunde is een gereedschap bij de constructie van een kunstwerk

Distortions,
Rinus
Roelofs, 2003

2 x 60 losse
elementen,
hout
doorsnede
ca. 100 cm

Dit heeft wel
enig
wiskundig
denkwerk
vooraf gekost.

Kleurvlakken met gelijke oppervlakte,
Max Bill, 1972

Opgave
hoe verdeelt de zig-zag-lijn de zijden
van het vierkant?

Een kunstwerk verbeeldt een wiskundig idee

Pythagoras, $a^2 + b^2 = c^2$
(Wandobjekt, Fahnentuch auf
Holzrahmen, 100 x 108 x 5 cm),
Rezsö Somfai, 2003

In ieder geval zul je dit plaatje
herkennen. Als je het mooi
vindt, of evenwichtig, komt dat
dan omdat het rode en blauwe
vierkant loodrecht op elkaar
staan en de oppervlakte gelijk is
die van het zwarte vierkant?

Opgave
*Welke relaties zijn er tussen de
oppervlaktes van de vierkanten als de ingesloten hoek niet een rechte hoek is?
Experimenteer eens met vierkanten van diverse grootte.
(Voor Tweede Fase: Kun je je vermoedens bewijzen?)*

HRZL#7,
Sol Le Witt, 1992

Zou de kunstenaar zijn
verbazing over het in zes
stappen aangroeien van
het volume van 1 naar
216 kubusjes willen uiten?

Opgave
*Zoek in je wiskundeboek
plaatjes die een nieuwe
inspiratiebron voor
kunstenaars zouden
kunnen zijn.*

Een kunstwerk zet aan tot denken: hoe zit het in elkaar?

Hypersculptuur met drie
$1\sqrt{2}$ *knopen*,
Koos Verhoeff, 2001

Dit is een voorbeeld van dubbelverstek objecten. De schuine zaagvlakken onder 45 graden blijken vierkanten te zijn.
Daarmee passen de aansluitingen in diverse richtingen altijd.
Drie identieke knopen lijken door verschillende plaatsing heel verschillend te zijn.
Elke knoop bevat slechts elementen van twee verschillende vormen.

Opgave
Hoe verhouden zich de breedte en dikte van de balken waarin gezaagd is?

Verschoven kwadraten,
Ad Dekkers, 1965
beschilderd hout, wit
120 x 120 x 8 cm

Opgave
Leg eens een aantal blaadjes over elkaar zodat er ook zo'n figuur ontstaat. Welke regelmaat in vormen en afmetingen zie je?

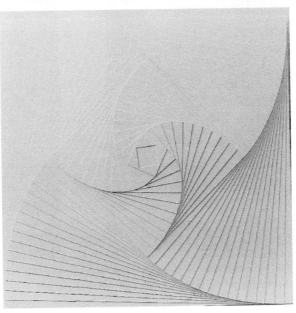

Een kunstwerk zet aan tot zoeken naar regelmaat of tot wiskundig verder denken

Zonder Titel
Bob Bonies,1972

Waarom is dit mooi?

Is er regelmaat? Hoe gaat dit verder?

Opgave
Voeg een vijfde vierkant toe. Welke regelmaat gebruik je?

O lune,…. inspire moi ce soir, Daumier, 1844
Links de "waarneming van de kunstenaar", rechts een meer natuurgetrouwe bewerking van het schilderij.

Opgave *De maan heeft een diameter van 3476 km en is 384000 km ver. Als de ramen aan de overkant van het plein 1 meter breed zijn en op 50 meter afstand staan, hoe groot moet de maan dan op het schilderij zijn?*

De vormen van het kunstwerk wekken de associatie met wiskunde

Piramides zijn vormen
in de kunst en in de
wiskunde.
Welke wiskunde er bij
de bouw is gebruikt, is
niet zo duidelijk.

Bepaalt het formaat hier
niet vooral het
kunstige?

Een perfect geslepen
granieten bol met een
diameter van 10 meter,
...
Vind je dat kunst?

Wassily Kandinsky
heeft veel schilderijen
die geometrische
vormen bevatten.
Maar om dit nou
wiskunst te noemen?

De voorbeelden op deze pagina vallen buiten het thema van dit boekje.

Het voorgaande en het bladeren in dit boekje hebben mogelijk enige verheldering gegeven over wat we onder "wiskunst" verstaan. Het valt beslist niet mee enige begrenzing te geven. We proberen een paar definities te geven. Dit blijft onbeholpen, maar geeft wel enige richting.

Kunst: Het vermogen om op creatieve wijze uiting te geven aan emoties en/of gedachten met als doel bij de toeschouwer en/of toehoorder gevoelens van schoonheid, verbazing, verwarring e.d. op te wekken en voortbrengselen van dat vermogen.

Wiskunde: (Oorspronkelijk "Wisconst") De wetenschap die zich bezighoudt met eigenschappen van getallen, figuren en structuren, waarbij de "kunst" van het zeker (Wis) weten bedreven wordt.

Wiskunst: Het raakvlak van bovengenoemde twee terreinen. Vaak gaat het om zaken waarin regelmaat of orde en verrassing samengaan.

Dat zou ook anders geformuleerd kunnen worden:

We laten ons **verwonderen** door kunst, waarmee we ook aan het **denken** worden gezet en gestimuleerd worden zelf iets te **verbeelden**.

De werkwijze in dit boekje is als volgt: kijken, laat je verwonderen, wat zie je eigenlijk, hoe zit het in elkaar, kun je het namaken, een variant maken en heb je eigen vondsten. Zijn dit niet stappen in veel creatieve processen?

Opdracht: Kunst en wiskunde

Ars et Mathesis is een stichting, waar kunst (ars) en wiskunde (mathesis) elkaar ontmoeten. Op of via de site www.arsetmathesis.nl kun je op zoek naar verdere voorbeelden. Bijvoorbeeld vind je afbeeldingen van de expositie "De bomen van Pythagoras, geconstrueerde groei", 7 september – 23 november 2003, Mondriaanhuis, Amersfoort.

Verzamel afbeeldingen van een aantal "wiskunstige" kunstwerken en geef bij elk ervan aan welke relatie je legt met wiskunde? (Kruis telkens maximaal 2 punten aan.)

1. *wiskunde is een gereedschap bij de constructie van een kunstwerk*
2. *een kunstwerk verbeeldt een wiskundig idee*
3. *een kunstwerk zet aan tot denken: hoe zit het in elkaar?*
4. *een kunstwerk zet aan tot zoeken naar regelmaat of tot wiskundig verder denken*
5. *de vorm van een kunstwerk wekt de associatie met wiskunde*
6. *een andere relatie, namelijk...?*

Opdracht: Jouw collectie

Stel je voor: je mag drie kunstwerken aanschaffen, geld speelt geen rol. Noem, bijvoorbeeld uit bovengenoemde tentoonstelling, drie "wiskunstige" kunstwerken die je wel zou willen hebben. Wat beleef je eraan, wat zie je erin?

2 Verhoudingen en maatstelsels

Een schilder kiest de maten van een doek en maakt een compositie waarbij hij het verdeelt in al dan niet rechthoekige vlakken. Zijn er ten aanzien van de maten wetmatigheden te ontdekken in het ontwerp en in de beleving? In een gebouw kun je allerlei rechthoeken ontdekken, die samen een beeld vormen, waar we al dan niet schoonheid bij beleven. Gaat een architect vooral op gevoel af? Zijn er regels of systemen?

2.1 Mooie verhoudingen?

Ongetwijfeld heeft Barnett Newman in het schilderij *Cathedra* (1951) de maten van de blauwe rechthoek en de plaats van de witte verticale streep niet willekeurig gekozen.

Onmiskenbaar spelen de verhouding van lengte en breedte van een schilderij en een verdere verdeling van het vlak een grote rol in de esthetische beleving.
Sommige mensen beweren dat een verdeling bij 62% van lengte en/of breedte het meest gekozen wordt, als gevraagd wordt naar esthetische voorkeur.
Dit zou overeenkomen met de Gulden Verdeling of Gulden Snede van een lijnstuk, waarvoor geldt dat de verhouding van het kleinste stuk k staat tot het grootste stuk g is als die van het grootste stuk tot het geheel $g+k$.
Als het geheel 1 is geldt:
$g \approx 0{,}618...$ en $k \approx 0{,}382...$

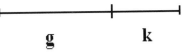

Ook wordt vaak gesproken over de Gulden Verhouding (of ook wel Goddelijke Verhouding): $k/g = g/(g+k)$ met het bijbehorende symbool $\varphi \approx 0,618...$, of omgekeerd: $g/k = \varphi' \approx 01618....$

De Gulden Snede is een verhouding die in de wiskunde een grootse rol speelt. Het Zebraboekje no.4 behandelt dat uitvoerig.

Opgave
Bereken de gulden verhouding exact vanuit de vergelijkingen die je met bovenstaande gegevens kunt opstellen. (Hint: vul $k = 1-g$ in bovenstaande vergelijking in, en maak daarvan een kwadratische vergelijking in g.)

Rechthoeken met lengte en breedte volgens de Gulden Verhouding worden ook wel gulden rechthoeken genoemd. Er wordt wel eens beweerd dat deze "de mooiste verhouding" hebben.

Er zijn vele analyses van schilderijen gemaakt. Door "Gulden Snede lijnen" te trekken (b)leek dan vaak, dat ze samenvielen met belangrijke lijnen in de compositie, of dat ze door belangwekkende punten gingen. Bestaat er een schoonheidsideaal? Een ideale proportie? Vind je die terug als je aan proefpersonen diverse vormen voorlegt? Hebben kunstenaars de Gulden Snede intuïtief toegepast?

Albert van der Schoot bespreekt in "De ontstelling van Pythagoras, over de geschiedenis van de goddelijke proportie" (1998) uitvoerig bovengenoemde probleemstelling. Hij laat overtuigend zien dat de Gulden Snede als esthetisch ideaal eigenlijk pas in de Romantiek (negentiende eeuw) is uitgevonden. Vanuit een vooringenomen standpunt is deze verhouding, vaak met aanvechtbare methoden, "ontdekt" bij onderzoek van kunstwerken uit met name de klassieke oudheid en de renaissance:

- "Zoekt en gij zult vinden": als je veel kunstwerken onderzoekt, vind je er wel een paar die voldoen. Die laat je natuurlijk graag zien.
- "Mag het iets meer/ minder zijn" ofwel "iets uit het midden voldoet": 0,7; 0,65; 0,6; 0,55....., zijn veelvuldig Gulden Snede verdeling genoemd.
- Als je eerst Gulden Snede lijnen aanwijst, valt achteraf vaak wel een interpretatie te vinden.
- Er zijn voorbeelden waar het formaat van het te onderzoeken schilderij is aangepast.

Niettemin sprak het idee dat schoonheid samenhing met een belangrijke wiskundige verhouding, kunstenaars erg aan en vanaf 1850 is het veelvuldig bewust toegepast, zoals in het onderstaande schilderij van Seurat (*La Parade*, 1888)

Opgave
Wijs in onderstaande schilderij de belangrijkste compositielijnen aan.
Trek daarna Gulden Snede lijnen. Komen de lijnen overeen?

Het onderzoek naar de esthetische voorkeuren vanaf 1850 is een mooie aaneenschakeling van opmerkelijke vondsten en allerhande tegenwerpingen.
Onze mening: in de middeleeuwen was symmetrie een schoonheidsideaal, daarna "iets uit het midden" (maar het gaat wel erg ver om dat met Gulden Snede te bestempelen), tegenwoordig lijkt alles te kunnen. Schoonheidsbeleving heeft vaak te maken met een tijdsbepaald evenwicht tussen orde en verrassing.

Opdracht
a. Onderzoek zelf eens de compositie van een aantal beroemde schilderijen op de Gulden Snede.
b. Zoek voorbeelden van analyses waarin beweerd wordt dat er sprake is van de gulden snede. Onderzoek deze kritisch.
c. Trek daaruit conclusies: komt de Gulden Snede veel voor, meer dan andere verhoudingen, zijn er schoonheidsverhoudingen, is dit tijdsbepaald?

2.2 De ramen van het Gymnasion

Gymnasion is de naam van het sportcentrum van de Radboud Universiteit te Nijmegen, dat in 2003 werd opgeleverd. Het is ontworpen door de architecten J.Decker en P. Arets (van Bureau AGS). De ramen wekken de associatie met de lijnen van een sportveld. Ze vormen een fraaie compositie van vierkanten en vlakken.

Als we voor de maat van de zijde van het kleinste vierkant 1 nemen, dan kun je vierkanten met de maten 1x1, 2x2, 3x3, 5x5 onderscheiden en ook andere maten uit de getallenrij
1, 1, 2, 3, 5, 8, 13, ...
Dit is beroemde getallenrij van Fibonacci, waarbij elk getal de som van de twee voorgaande getallen is. Heeft de architect gedacht aan deze getallenrij of ontstaat deze rij vanzelf als je vierkanten aan elkaar plakt?

Linksboven in het raam zijn opeenvolgende rechthoeken met een vierkantenpatroon te zien, met verhoudingen: 1/1, 1/2, 2/3, 3/5, 5/8. Als je op dezelfde manier het vierkantenpatroon voort zou zetten, zijn de volgende verhoudingen 8/13 = 0,615..., 13/21 = 0,619.... In de limiet gaat deze verhouding naar 0,618...= φ !!!
Dus hoe verder je het vierkantenpatroon voortzet, des te meer gaat de rechthoek lijken op een gulden rechthoek.

Zo'n verdeling van rechthoeken in vierkanten zie je ook in een analyse van het schilderij van Salvador Dali met de verrassende titel: *"Vliegende, reusachtige mokkakop met een onverklaarbaar aanhangsel van vijf meter lang"* (1946)

Je ziet hier bovenstaande principe omgekeerd:
Als je van een Gulden rechthoek een vierkant afsnijdt krijg je weer een rechthoek met Gulden Snede verhoudingen.

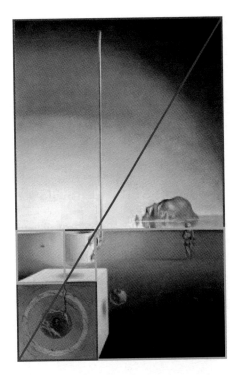

Want als je van de gulden rechthoek met lengte $g + k$ en breedte g het vierkant met zijde g afhaalt blijft er een rechthoek met lengte g en breedte k over.
Omdat we g en k de eigenschap $k/g = g/(g + k)$ meegegeven hebben, blijft de vorm van de overgebleven rechthoek die van de oorspronkelijke rechthoek.

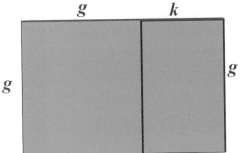

Deze gelijkvormigheid (ofwel verkleining) wordt ook geïllustreerd door de schuine lijn in het nevenstaande plaatje: de kleine rechthoek is een verkleining van de grote met vermenigvuldigingsfactor φ.

Salvador Dali was met dit principe bekend door zijn vriendschap met de wiskundige Mathila Ghyka die het boekje "Le Nombre d'Or" schreef.

Opgave

Begin eens met een gulden rechthoek, snijd daarvan vierkanten af. Zo kun je een spiraal van vierkanten laten ontstaan. Trek daarin diagonalen. Welke wetmatigheden kun je zoal ontdekken?

Opdracht

Maak eens een aantal composities door een gulden rechthoek (verder) te verdelen in vierkanten en rechthoeken. Wat voor maten hebben de vierkanten en rechthoeken zoal? Wat is hun onderlinge samenhang?

2.3 Wat is een maatstelsel?

Voor een architect is het van praktisch en esthetisch belang om bij het ontwerpen gebruik te maken van een beperkt aantal vormen en maten. Teveel maten geeft een rommelig beeld.

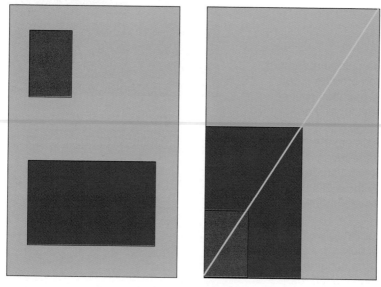

Eenheid van compositie kun je krijgen als delen van de compositie dezelfde verhoudingen hebben als het geheel. De rechthoeken in bovenstaande figuur hebben bijvoorbeeld alle de verhouding 2:3. De diagonaal geeft aan dat ze vergrotingen of verkleiningen van elkaar zijn.

De door de architect gebruikte maten zou je als een getallenrij kunnen zien. Opeenvolgende maten moeten duidelijk van elkaar te onderscheiden zijn.

Wetmatigheden in zo'n rij kunnen zijn:

- Als een maat voorkomt, moet de helft van deze maat ook voorkomen. Dit kan bijvoorbeeld nodig zijn voor het halveren van een kozijn waarin je twee deuren met gelijke breedte wilt kunnen zetten.
- Als twee maten voorkomen, moet hun som ook voorkomen: twee ramen van ongelijke breedte moeten wel samen in een kozijn passen.
- Opeenvolgende maten moeten een vaste verhouding hebben om gelijkvormigheid van delen te bevorderen, zoals bijvoorbeeld in de rij 4; 6; 9; 13,5; ...... met vaste groeifactor 1,5. Dan noemt men de rij ook wel een meetkundige rij.

Opgave

Laat zien: combinatie van de twee laatste eigenschappen levert het Gulden Snede getal $\varphi' \approx 1,618...$ (bij vergroten) als groeifactor op (of $\varphi \approx 0,618...$ bij verkleinen)

Een bekend voorbeeld van een maatstelsel buiten de architectuur is het stelsel van papierformaten A0, A1,....A4,.... In de architectuur zijn maatstelsels van de Renaissancearchitecten Palladio en Alberti bekend.

2.4 De Modulor van le Corbusier

De Zwitsers - Franse architect Le Corbusier ontwierp in 1945 - 1946 het maatstelsel de "Modulor". Vlak na de tweede wereldoorlog moest er veel en goedkoop, dus recht toe recht aan, gebouwd worden. Hij zocht naar manieren om het vlak op een esthetische manier te verdelen.

Dit stelsel is gebaseerd op verhoudingen in het menselijk lichaam en heeft een opbouw die lijkt op die van een Fibonacci-rij.

Het is een combinatie van twee rijen: "de rode rij", afgeleid van een lichaamslengte van 1,83 meter en Gulden Snede verhoudingen:
...; 1,829; 1,130; 0,698; 0,432, ... meter en "de blauwe rij", afgeleid van de hoogte van de gestrekte arm van 2,26 meter en Gulden Sneden:
...; 2,260; 1,397; 0,863; 0,534; ... meter. Zo krijg je de gezamenlijke Modulor-rij van maten:
...; 2,260; 1,829; 1,397; 1,130; 0,863; 0,698; 0,534; 0,432; ...

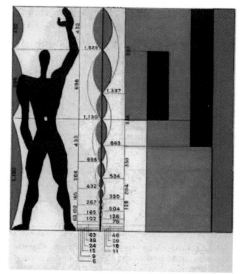

Door de getallen af te ronden en te beginnen bij 43 centimeter maakte Le Corbusier de rij:
a_1= 43 centimeter (of millimeter), a_2 = 54, a_3= 70, a_4 = 86, a_5= 113, a_6=140, a_7=183, a_8= 226,....

Nevenstaande figuur illustreert de rechthoeken die je krijgt door deze maten te combineren.
Stel je het voor als een doos met platte rechthoekjes. Met een paar van deze dozen kan een architect naar hartelust puzzelen en composities maken. Het levert Mondriaan-achtige vlakverdelingen op (hoewel Mondriaan altijd intuïtief te werk ging).

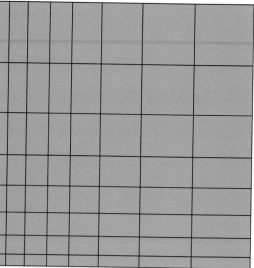

Hiernaast staan
vormoefeningen die Le
Corbusier zelf maakte.

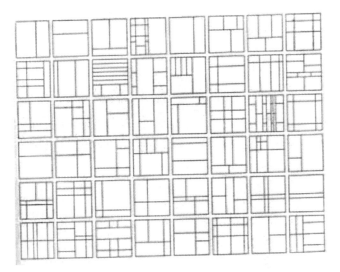

Opdracht
Je kunt dit doen door rechthoeken met als lengtes en breedtes de maten a_1 t/m a_8 te tekenen, kleuren en uit te knippen. Maak eens een paar "mooie" verdelingen.

Opdracht
Leidt een verdeling van een rechthoek uit dit stelsel tot een combinatie van andere kleinere rechthoeken uit dit stelsel, die altijd past? Dus als drie van de rechthoeken hiernaast uit de Modulor komen, komt de vierde dan ook in de Modulor voor?

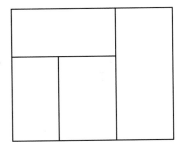

Opdracht
Ontwerp een gevel van een gebouw volgens de Modulor.

Opdracht
Maak foto's van gevels van gebouwen, of haal ze uit afbeeldingen op internet, in boeken of tijdschriften, en analyseer ze op wetmatigheden.

2.4 De Bossche School en Het Plastisch Getal

De Nederlandse architect en pater H. van der Laan ontwierp rond 1950 vooral kloosters en kerken. Zijn meest bekende gebouw is het Benedictijner klooster in Mamelis bij Vaals (Zuid Limburg).

Ook was hij leraar bouwkunde voor een groep architecten die rond 1950 veel overheids- en kerkelijke gebouwen ontwierpen, bijvoorbeeld gebouwen van het Radboudziekenhuis in Nijmegen. Hun groep heette de "Bossche School" en vindt nog steeds navolging in de woningbouw.

Van der Laan had kritiek op de Modulor van Le Corbusier. Hij vond dat de Modulor enkel voor een verdeling van 2-dimensionale vlakken geschikt was. Van der Laan ontwierp een 3D-maatstelsel, dat de wetmatigheden
$a_i = a_{i-2} + a_{i-3}$ en $a_i = p \cdot a_{i-1}$ bevat: in een rij van getallen is een maat de som van het één na laatste en twee na laatste getal en ook het vorige getal maal een vaste groeifactor p. Dit leidt voor p tot "het plastisch getal" $\approx 1{,}325\ldots$, een getal vergelijkbaar met de Gulden Snede.

Opgave
Leid uit de twee gegeven wetmatigheden een derdegraads vergelijking voor de groeifactor p af. En laat zien dat het getal 1,325 daarvan ongeveer een oplossing is. (Eigenlijk laat je zien dat er een oplossing tussen 1,325 en 1,326 is.)

Van der Laan maakte blokkendozen met maten uit zijn stelsel om mee te ontwerpen. Onderstaande figuur illustreert zijn "gamma" van verschillende vormen, waarbij lengte, breedte en hoogte acht verschillende maten kunnen hebben.

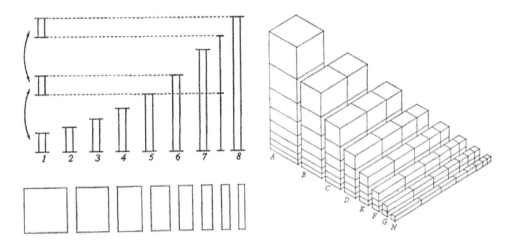

Opgave
Hoeveel verschillende blokken zijn er in totaal?

Opdracht
Stel je voor dat de kleinste maat in het stelsel 10 cm is. Tot welke maten leidt een dergelijk stelsel voor blokken? (Elk blok heeft drie maten: lengte, breedte en hoogte.) Maak een blokkendoos (op schaal), waarmee je als een architect kunt spelen. Maak er een ontwerp voor een bouwwerk mee.

3 Rotondes en aanzichten

Rotondes lenen zich bij uitstek om kunstwerken te plaatsen die er van verschillende kanten heel anders uitzien. In dit hoofdstuk bespreken we enige van dat soort kunstwerken. Met opdrachten word je aan het denken en aan het werk gezet. Je zou een expositie kunnen maken met de uitwerkingen van de opdrachten.

3.1 *Swing*, 1977, Arie Berkulin, Eindhoven

Opgave
Maak dit object van ijzerdraad na.
Teken nog twee andere zij-aanzichten.

Opgave
Hieronder zie je een bovenaanzicht van een rotonde. Stel je voor dat het kunstwerk er middenin geplaatst is. Het erbij geplaatste aanzicht geeft de plaats aan, vanwaar je het kunstwerk zo ziet. Plaats de vijf andere verschillende aanzichten er op de juiste plaats bij.

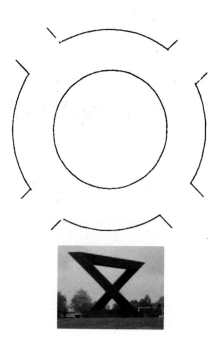

3.2 Zonder titel (sans titre, Anamorphose, pour Jacques Bouveresse), 2001, Tjeerd Alkema

Opgave

In het schema hebben we één aanzicht bij een rotonde geplaatst.
Teken de twee andere foto´s na op de plaats vanwaar je ze ziet.
*Teken een **bovenaanzicht** van het kunstwerk van Alkema in de rotonde.*

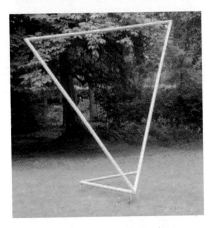

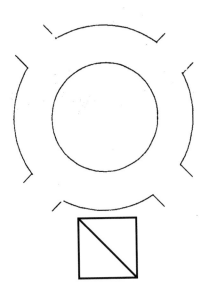

Opdracht: Jouw kunstwerk

Verzin nu zelf een ander ruimtelijk object

- *dat uit zes stangen bestaat (even lang of met twee verschillende maten)*
- *dat een aantal bijzondere verschillende aanzichten heeft*

Maak dit in eerste instantie van ijzerdraad
Teken daarna een aantal bijzondere zijaanzichten.

3.3 *Cirkel*, 1986, Anneke van Bergen, Beuningen

Het is bijna onvoorstelbaar dat zulke verschillende aanzichten bij hetzelfde object horen. De kunstenares bedacht het spelend met een ijzerdraadje.

Opgave

Probeer na te gaan in welke volgorde je de aanzichten om een rotonde ziet. Je kunt het object met een ijzerdraadje proberen na te maken.

Als je goed kijkt kun je zien dat het object ongeveer bestaat uit vier halve cirkels. Met twee ringen van piepschuim kun je al een heel bevredigend resultaat krijgen. Als je het onderwerp parametervoorstellingen (5/6 vwo) gehad hebt, zul je wellicht op het idee komen het object door één vloeiende ruimtelijke kromme te willen beschrijven. Dan is het wel handig het in een andere positie te zetten, zoals hiernaast.
Het object is nu veel minder spannend, maar wel eenvoudiger te analyseren.
Je krijgt volgende drie aanzichten als je kijkt langs de coördinaatassen:

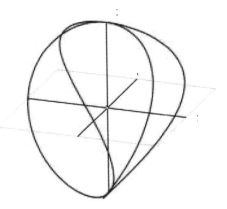

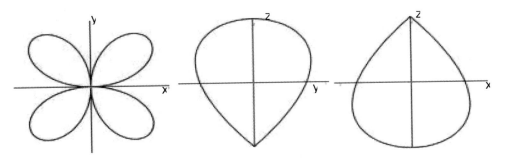

Opgave
Neem aan dat x, y, en z variëren van -1 tot 1. Een formule voor de x-coördinaat passend bij het eerste aanzicht is dan: x(t)=sin2t.cost. Zoek nu zelf de formules, passend bij de andere twee aanzichten: y(t)=... en z(t)=...?

In bolcoördinaten, waarvan het principe geïllustreerd wordt in het nevenstaande plaatje, zijn de formules nog eenvoudiger.

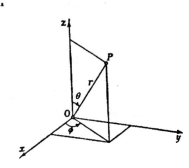

Opgave
Ga na dat voor elk punt op de kromme de volgende formules gelden: r = 1 en θ = 2φ.
Hoe kun je het object op een bol buigen?

Opdracht
Ontwerp nu je eigen kunstwerk door te experimenteren met formules in parametervoorstellingen. Een computerprogramma voor het maken van ruimtekrommen (zoals Geocadabra) kan daarbij zeer behulpzaam zijn.

31

4 Vormveranderingen

In de beeldende kunst zie je vaak metamorfosen: reeksen van vormen waarin een verandering zichtbaar wordt gemaakt. Vaak lijkt het of de kunstenaar zijn verbazing wil uitspreken over hoe je met een eenvoudig veranderingsprincipe zulke grote vormveranderingen kunt bewerkstelligen.

4.1 Kijken naar kunst

Nevenstaande foto toont een kunstwerk van Sol Le Witt. Je wordt als kijker meegenomen om een verandering van vorm mee te maken.

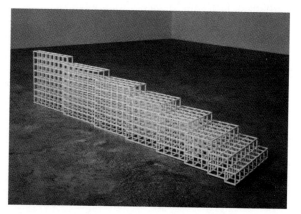

Opgave
Wat gebeurt er met die balk van 8x1x1 die langzaam verandert in een 1x8x8 vorm? Beschrijf het principe.

In een plantsoen aan de Hugo de Vrieslaan in Amsterdam staat *Horizontaal beeld* (Henk van Bennekum, 1987) met een aantal veranderingen van een piramide.

Opgave
Beschrijf het principe van de vormverandering.

Door dit kunstwerk laten we ons inspireren tot onze eigen vormveranderingen.

4.2 Een vitrine vol vormveranderingen

Onderstaande plaatjes tonen vormveranderingen. Het is niet de bedoeling te suggereren dat het heel eenvoudig is om op deze manier kunst te maken. Niettemin is het wel mooi om naar te kijken.

Opdracht
Door met een groepje leerlingen een reeks te kiezen en per leerling één object uit te voeren in karton, kun je met een klas in een les tijd een vitrine vol produceren. De mogelijke variatie is eindeloos.

4.3 Vormveranderingen van afgeknotte piramides

In de foto hiernaast zie je een
"kunstwerk" gemaakt door een
klasje wiskundeleraren op de
Nationale Wiskunde Dagen 2005.

Vijf groepjes van "leerlingen"
maakten elk een serie van
vormveranderingen van een zijde
of een diagonaal.
Elke leerling maakte één
"afgeknotte piramide" van karton
(ga na dat de benaming
"afgeknotte piramide" eigenlijk
niet correct is). Iedere leerling
maakt een iets andere vorm.

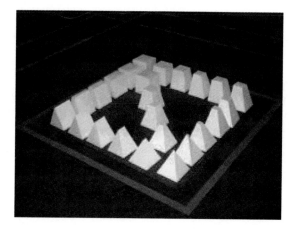

Dit kun je met een hele klas doen, maar ook met een groepje van leerlingen of zelfs
individueel, maar dan heb je wel veel werk.

We gaan uit van een kubus ABCDEFGH van 15 x 15 x 15 cm^3 . We variëren de
vormen door verschillende keuzen van: AI, BJ, BK en LC.
In de tekening hiernaast geldt: AI = 3;
BJ = 6; BK = 4,5; LC = 1,5.

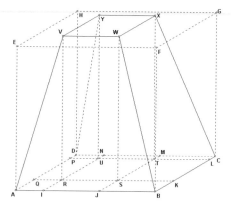

Opgave
*Ga na dat onderstaande gegevens horen bij
de serie linksboven in de foto (van de kubus
achteraan tot het driehoekig prisma in
de linkerhoek).*

Serie 1	AI	JB	BK	LC
a)	0	0	0	0
b)	1,5	1,5	0	0
c)	3		0	0
d)	4,5	4,5	0	0
e)	6	6	0	0
f)	7,5	7,5	0	0

De volgende tekeningen illustreren
het werk voor het voorbeeld
AI = 3; BJ = 6; BK = 4,5; LC=1,5
Bereken zelf de overige lengtes die je
nodig hebt.

Maak achtereenvolgens
1. een schets van de vorm,
2. een schets van de bouwplaat,
3. een bovenaanzicht (welke maten
   weet je nu?),
4. een vooraanzicht (welke maten
   nu?),
5. een zijaanzicht (welke maten nu?),
6. de bouwplaat (met plakrandjes).

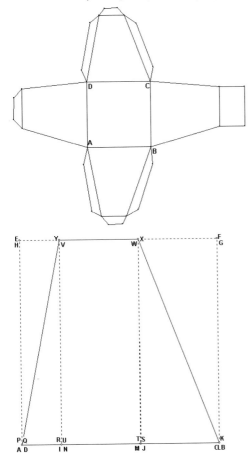

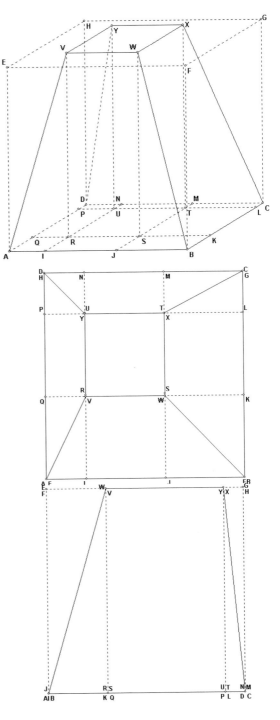

35

Rits de vouwlijnen (snijd of kras de lijnen een beetje in met een stanleymesje of de punt van een schaar).
Snijd of knip de bouwplaat uit.
Voor een strak resultaat:
vouw om met de snijranden buiten. (Gevolg is wel dat we een gespiegelde figuur krijgen.)

Plak in elkaar (gebruik hobbylijm met oplosmiddel, dus niet op waterbasis).

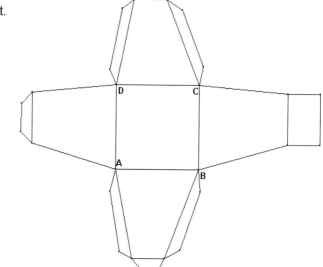

Opdracht

Bedenk eerst een aantal series door het onderstaande schema met een zekere regelmaat in te vullen.

Serie	AI	JB	BK	LC
a)				
b)				
c)				
d)				
e)				
f)				

Als je series op elkaar wilt laten aansluiten, zul je wel afspraken moeten maken over begin en eindpunt.

36

4.4 Papierwerk van Franz Zeier

De Zwitserse papierkunstenaar Zeier maakte een prachtig boek met de ondertitel: "Versuche zwischen Geometrie und Spiel."
Hierdoor geïnspireerd ontstonden de opdrachten op de volgende pagina's. Voor de eerste toren worden zeer gedetailleerde aanwijzingen gegeven, voor de andere gaat het werk analoog.

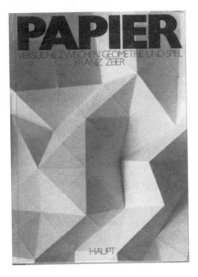

Dubbel ingeknepen toren
Deze ingeknepen toren heeft vijf lagen die ieder even hoog zijn. Elke laag is afgeleid van een kubus van 10 x 10 x 10 cm^3. Hoe hoger de laag, hoe meer de kubus aan de zijkanten wordt ingeknepen. Het inknijpen gebeurt aan alle vier kanten steeds 1 cm meer dan bij de vorige kubus.
De bouwplaat bestaat alleen uit de buitenkant van de toren.

Opdracht
Maak een tekening van de bouwplaat uit één stuk.
Maak deze toren van karton.

Aanwijzingen voor de bouw van de dubbel ingeknepen toren

1) Maak een schets van hoe je denkt dat de bouwplaat eruit komt te zien (in kleiner formaat). Van sommige zijden weet je de maten nog niet, dus maak steeds schattingen.

2) De kubussen worden van beneden naar boven steeds meer ingeknepen. Dit gebeurt telkens op de halve hoogte van de kubus aan de zijkanten. De kubussen worden steeds ingeknepen met 1 cm meer. Zet de maten in de gemaakte schets.

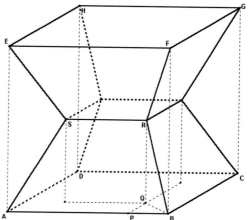

3) Bedenk nu welke maten nog ontbreken voor het tekenen van de bouwplaat. Deze maten zul je moeten berekenen.
Begin met laag 2. Daarin geldt
AB = AE = 10 cm, PQ = 1 cm Vrij eenvoudig kun je nu RS, BP en QR bepalen. Bereken vervolgens BQ en BR in twee decimalen nauwkeurig.

4) Zet alle maten die je weet in de tekening hiernaast en in de schets van de bouwplaat.

5) Doe hetzelfde voor de lagen 3, 4 en 5.

6) Je kunt nu de bouwplaat tekenen. Begin weer met de basisvorm, voeg er daarna pas de plakrandjes aan toe. Kniplijnen teken je doorgetrokken, vouwlijnen gestippeld. Plakrandjes hebben een trapeziumvorm met een hoogte van minimaal 0,5 cm en maximaal 1 cm.

7) Je kunt de bouwplaat het beste uitknippen of snijden met een stanleymesje.De lijnen die je van je af moet vouwen, kun je met de stompe kant van een schaar ritsen, of voorzichtig een beetje insnijden met een stanleymesje.

8) Voor het lijmen de lijm dun aanbrengen op beide te lijmen delen, even laten drogen (tot hij bij licht aanraken niet meer aan je vinger blijft kleven). Dit is heel belangrijk want het voorkomt vlekken! Vervolgens stevig maar voorzichtig aandrukken. Het werkt soms beter een bepaald stuk goed te laten drogen alvorens verder te gaan.

Enkel ingeknepen toren

Deze toren bestaat uit vier lagen die ieder even hoog zijn. Elke laag is afgeleid van een kubus van $8 \times 8 \times 8$ cm^3.

Hoe hoger de laag, hoe meer de kubusjes aan de voor- en achterkant "ingeknepen" worden.

Hoe hoger de laag, hoe meer de kubusjes aan de linker- en rechterkant uitdijen.

Het inknijpen en uitdijen gebeurt steeds op de halve hoogte van iedere laag, en het gebeurt in iedere opvolgende laag aan alle vier kanten steeds met 1 cm méér.

De bouwplaat bestaat alleen uit de buitenkant van de toren.

Opdracht:

Maak een tekening van de bouwplaat uit één stuk.
Maak deze ingeknepen toren van karton.

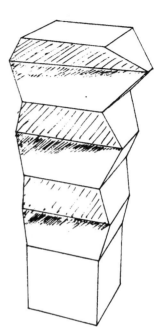

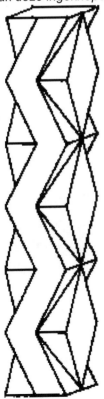

Fantasietoren

Deze toren bestaat uit zes "kubusvormige" lagen die even hoog zijn. Ga uit van kubussen van $8 \times 8 \times 8$ cm^3. De bouwplaat bestaat alleen uit de buitenkant van de toren.

Opdracht

Maak een tekening van de bouwplaat uit één stuk. (Dat kan wel als je de bodem of bovenkant als uitgangspunt neemt, maar voor de uitvoering is een bouwplaat uit meer stukken handiger.)
Maak deze fantasietoren van karton.
(Een variant: kies de zes lagen met hoogten van een halve kubus, dan worden de ruiten vierkant.)

5 Anamorfosen

Al snel nadat men ontdekte hoe tekeningen in perspectief gemaakt konden worden (zie hiervoor Zebraboekje no. 2) om werkelijkheidsgetrouwe afbeeldingen te maken, is men ermee gaan spelen om juist het oog te bedriegen. Anamorfosen zijn vertekende weergaven van een voorstelling, die alleen vanuit een bepaald standpunt of met hulpmiddelen gezien kunnen worden. Hier bekijken we alleen de perspectivische anamorfosen.

Jan Dibbets is een kunstenaar die veel met de visuele (on)werkelijkheid is beziggeweest. Zie hier één van zijn bijzondere figuren: *Correctie van perspectief* (1961).
Hij heeft met tape lijnen op de vloer aangebracht. Is het ontstane figuur wel een vierkant?

Opgave
Hoe zit het bovenaanzicht van de vloer eruit?

Julian Beever is een kunstenaar die stoeptekeningen maakt. Hij heeft een site met nog vele andere voorbeelden.

Opgave
Hoe ziet het been van de dame er in bovenaanzicht uit? Teken het eens op een vel ruitjespapier. Daarbij kun je voor elke stoeptegel een ruitje nemen.

Dit spel met de werkelijkheid is al heel oud, zoals onderstaande prent demonsteert. De houtsnede met de titel *Aus du alter Tor* werd omstreeks 1538 gemaakt door Erhard Schön.

De linkervoorstelling van deze prent met de titel is goed zichtbaar: een voorstelling van een oude man die de borst van een jonge vrouw betast in ruil voor een buidel met geld, die zij doorgeeft aan een jongeman, die het tafereel van achter een gordijn gadeslaat. De rechtervoorstelling is op een jacht- en een boottafereeltje na, onduidelijk. Om de rest te zien, moet men het hoofd links van de afbeelding op het papier leggen en met het linkeroog naar de langgerekte tekening kijken. Dan verschijnt een nieuwe verrassende voorstelling: de jongeman en de vrouw, nadat de oude man de deur uit is gewerkt.

Uit dit voorbeeld blijkt duidelijk dat men voor het zien van de anamorfosen geen optische hulpmiddelen nodig heeft. Men neemt slechts een afwijkend gezichtspunt in.

Hoe je anamorfosen kunt maken wordt duidelijk vanuit het principe voor het maken van een perspectieftekening dat in onderstaande prent van Albrecht Dürer (1571 - 1528) wordt gedemonsteerd.

Als je met een oog naar een tafereel kijkt, komen lichtstralen van het tafereel samen in je oog. Plaats je een doorzichtig scherm tussen oogpunt en tafereel, dan kun je op het scherm de punten aangeven waar die stralen het scherm doorboren. Zo ontstaat een perspectivische tekening van het tafereel. Een rasterverdeling op het scherm helpt de tekenaar. Wat je vanuit het oogpunt in elk hokje ziet, teken je na in het corresponderende hokje op het tekenvel.

Bij het maken van een anamorfose werk je in zekere zin omgekeerd. Onderstaande tekening van Jean-Francois Niceron uit 1646 demonstreert de werkwijze voor het maken van een anamorfotische wandschildering.

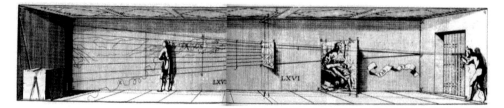

Of nog iets schematischer:

vanuit wat je op het vierkante scherm ABCD ziet, construeer je een vertekend beeld op de muur.

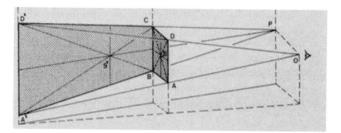

Door een fijne rasterverdeling kun je preciezer werken:

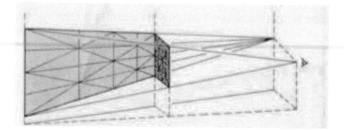

Verder kun je extra vertekening in verticale richting toevoegen:

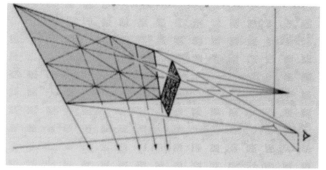

42

Misschien suggereert de tekening van Niceron een ingewikkeld procédé, een andere tekening van hem laat zien dat het oprekken van een voorstelling in feite volstaat:

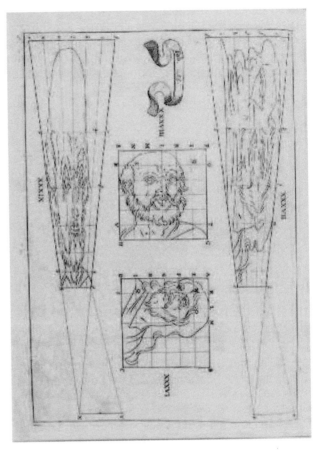

Opdracht
Een nog eenvoudiger procédé is als volgt. Rek een plaatje op de computer in één richting op en bekijk het dan vanuit een bepaalde gezichtshoek op een "scherende" manier. In feite is dit geen perspectivische anamorfose, maar het werkt niettemin vrij goed. Probeer maar eens.

Opdracht
Spoor nog meer voorbeelden van perspectivische anamorfosen op.

Opdracht
Maak zelf een anamorfose op een wand, op aan elkaar geplakte tekenvellen, of op een rol behang.

Opdracht
Maak je eigen naam als een anamorfose.

6 Maaswerk

Duizend jaar geleden zagen alle kerken in Europa er vrij log uit. Ze hadden dikke muren en kleine vensters met ronde bogen. Dat had tot gevolg dat ze van binnen erg donker waren. Die bouwstijl noemen we nu Romaans.

In de twaalfde eeuw kwam daar verandering in; eerst in Frankrijk en kort daarna ook in vele andere landen. Men wilde hogere kerken bouwen met veel grotere ramen. Dit werd op een ingenieuze wijze architectonisch opgelost. De nieuwe bouwstijl kreeg later de naam Gotisch.

We zullen het over de vorm van de ramen hebben. Die waren lang, slank en van boven spits. De Romaanse ramen waren korter en van boven half cirkelvormig.

De binnenkant van de spitse ramen werd versierd met gebeeldhouwde ornamenten, die uit cirkelbogen waren opgebouwd. Die ornamenten noemt men *maaswerk* omdat de stenen bogen waaruit ze zijn opgebouwd een soort netwerk met mazen (de open gedeelten) vormen.

De steenhouwers die dit maaswerk hakten, gebruikten daarvoor vrijwel altijd vormen die uit cirkelbogen waren opgebouwd. En dat deden ze met een onuitputtelijke fantasie. De geraffineerde patronen die zo ontstonden, zijn dikwijls kunstwerken: abstracte kunst helemaal opgebouwd uit één enkele wiskundige vorm: de cirkel.

Het is interessant om het schema, dat aan een bepaald maaswerk ten grondslag ligt, terug te vinden. Als voorbeeld doen we dat voor een maaswerk dat in de kloostergang bij de Dom van Utrecht te vinden is (zie nevenstaande foto).

De kolommen geven een verticale driedeling aan, terwijl het maaswerk ook snijpunten heeft die daar precies tussen vallen.

We beginnen daarom met het tekenen van de evenwijdige verticale lijnen 1 t/m 7 (zie figuur volgende bladzijde).

We zoeken eerst de grootste cirkels op. In de top vinden we er één. Deze raakt aan twee even grote cirkels eronder en deze weer aan drie cirkels daaronder. Van deze laatste cirkels is alleen de bovenste helft gebruikt voor het maaswerk. De middelpunten van al deze cirkels liggen op de drie horizontale lijnen a, b en c.

Bij nadere beschouwing blijken er méér cirkels van dezelfde grootte bij de constructie gebruikt te zijn: twee cirkels rechts en links op de middelste rij en ook twee cirkels rechts en links van de bovenste cirkel.

We kunnen nu ook zoeken naar de best passende cirkels die de spitsboog vormen. Van de punten die al door de voorgaande constructies zijn vastgelegd, voldoen A en B het beste als middelpunten voor beide cirkelbogen. Deze laatste raken op deze manier aan de topcirkel en aan de basiscirkels.

Nu komen de kleinere cirkels aan de beurt. Op de lijn b vinden we zes cirkels die elkaar raken en waarvan de straal de helft is van de grote cirkel.

De kleinste cirkel van het maaswerk is nu ook vastgelegd. Het is de cirkel die raakt aan de grootste cirkel en de twee kleinere die we zojuist getekend hebben. Er is nog een tussenmaat: in de grote cirkel kunnen we vier kleine tekenen, die elkaar en de grote cirkel raken (zie bijvoorbeeld. links onder bij A).

Met dit schema kunnen we het maaswerk van de kloostergang in Utrecht reconstrueren, door een aantal cirkelbogen te verwijderen. Maar het schema is bijzonder rijk aan mogelijkheden: men kan door het selectief verwijderen van cirkelbogen totaal andere maaswerken tevoorschijn roepen. Ook kan voor een heel ander schema van cirkels gekozen worden, waaruit weer talloze maaswerken afgeleid kunnen worden.

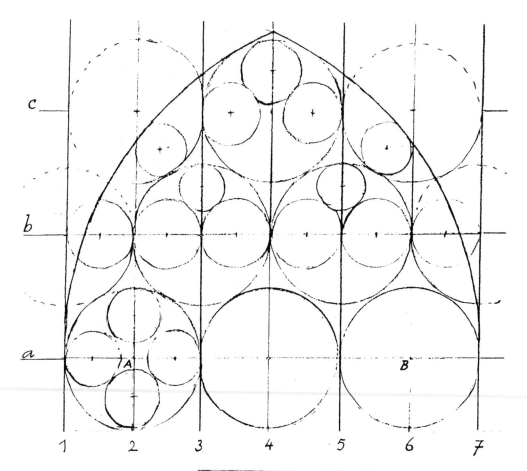

De figuur hiernaast geeft twee andere maaswerkpatronen in dezelfde kloostergang.

We merken we nog op, dat er een hele periode is geweest, dat de gotische bouwstijl in onbruik is geraakt. Pas in de negentiende eeuw kwam er een opleving en werden weer kerken in deze stijl gebouwd. Deze periode kreeg de naam neogotiek. Dikwijls zijn gotische en neogotische kerken al van elkaar te onderscheiden als we op het maaswerk letten.

De gotische steenhouwers deden hun best om zoveel mogelijk verschillende vondsten te laten zien. De Gotische kerken tonen daarom een grote variatie in maaswerkpatronen: dikwijls zien we in een kerk niet meer dan twee maal hetzelfde patroon. De neogotische architecten daarentegen ontwierpen meestal één mooi patroon, dat we dan in alle spitsbogen van de ramen aantreffen.

Opgaven
1. *Teken zelf de constructie die in onderstaande foto is weergegeven.*
2. *Maak enige fotokopieën ervan en verzin zelf andere maaswerken volgens dit schema.*

Opdrachten
3. *Construeer zelf een maaswerk, dat op een heel andere rangschikking van cirkels is gebaseerd.*
4. *Bekijk eens het maaswerk van gotische kerken in jouw buurt.*
5. *Haal uit de bibliotheek een boek waarin gotische kerken zijn afgebeeld, en bestudeer het maaswerk.*

7 Pythagorasbomen

Deze prachtige bronzen sculptuur
is een "pythagorasboom",
gemaakt door prof. Koos Verhoeff.

Enige andere pythagorasbomen herken je waarschijnlijk in de tekeningen van de
Belgische kunstenaar Jos de Mey.

© *Jos de mey - Daalmstraat 7 - 9930
Zomergem - België*

De pythagorasboom is voor het eerst geconstrueerd door Ir. A. E. Bosman (in 1942). De vijftigjarige Albert Bosman was electrotechnisch ingenieur en wiskundeleraar. Door de Duitsers was hij tewerkgesteld om onderdelen voor duikboten te ontwerpen. In een zaal van de AEG werkte hij minutieus, zorgvuldig en nauwkeurig aan een constructie, die weinig met duikboten te maken had. Het was een stille vorm van sabotage.

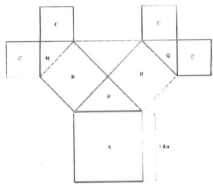

Het probleem dat hij zich stelde, was: wat voor een figuur ontstaat er, als je op de bovenste zijde van een vierkant een gelijkbenige rechthoekige driehoek tekent en op de rechthoekszijden daarvan weer twee vierkanten, vervolgens weer driehoeken, enzovoort.

Het begon te lijken op een groeiende boom.

Na de vierde herhaling gebeurde iets onverwachts: de boom begon naar binnen te groeien en reeds getekende figuren te bedekken.

Het is wonderlijk dat de boom in zijn geheel beperkte afmetingen heeft: hij groeit niet eindeloos in de hoogte en de breedte.

Verder kun je bij een willekeurig vierkant beginnen en dan zie je dat de hele pythagorasboom zich in verkleinde vorm herhaalt: een echte fractal!

Globaal bekeken lijkt het op een stormloop van figuurtjes naar een muur, de buitengrens van de boom. Daar worden ze teruggekaatst en alles golft weer naar binnen. Deze puur wiskundige boom is mooi en interessant. Ook al imposant door zijn oorspronkelijke grootte (85×60 cm^2) en door de ongelofelijke nauwkeurigheid waarmee hij getekend is.

Een beroemde kunstenaar was in Baarn de overbuurman van Bosman: M.C. Escher. Toen hem gevraagd werd of hij de pythagorasboom van Bosman kende, zei hij ietwat smalend: "O, die bloemkool van Bosman". En verder deed hij het zwijgen ertoe. Jos de Mey, die Bosmans tekening pas zo'n 20 jaar later voor het eerst zag, was echter wèl onder de indruk van de vorm en de structuur van de boom en maakte ruim 220 tekeningen met variaties op de boom, waarvan hij er een aantal tot schilderijen uitwerkte. Zie de reproducties hierboven. Het was niet zomaar een bloemkool!

Opgaven
Wiskundig is de boom ook interessant.

1. *Teken eerst maar eens de eerste vier fasen van de groei van de boom.*
2. *Er komt maar een beperkt aantal richtingen van de lijnen voor in de hele boom: hoeveel?*
3. *Stel, dat de zijde van het eerste vierkant 10 cm is. Hoe hoog en hoe breed wordt de boom na vier stappen? En na oneindig veel stappen?*
4. *Hoe groot is de oppervlakte van de boom na vier stappen? En na oneindig veel stappen? (We trekken ons er niets van aan, dat de figuren elkaar overlappen: die oppervlakten worden ook meegeteld.)*
5. *Hoe groot is de gezamenlijke lengte van alle lijntjes na vier stappen? En na oneindig veel stappen?*

Opdracht
Laat je inspireren door de tekeningen van Jos de Mey, en maak je eigen vormgeving van een pythagorasboom.

8 Spel met hol en bol

Als we naar een vlakke afbeelding kijken, bijvoorbeeld de hier afgebeelde kubus, dan is het onmogelijk die te zien als een combinatie van enige vierkanten en parallellogrammen.

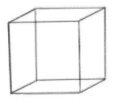

Ons brein maakt er iets ruimtelijks van dat zinvol is. Nu gebeurt er in dit geval iets eigenaardigs: het toe. Nu eens zien we de kubus van boven, dan weer van onderen: de vierkanten verwisselen van plaats, naar voor en naar achter. Als we blijven kijken, wisselen de interpretaties elkaar af om de ca. 10 seconden. Dit hoofdstuk gaat over hoe kunstenaars met dit soort optische effecten hebben gespeeld.

8.1 Dubbele interpretatie

In de litho *Hol en bol* (1955) heeft M.C.Escher drie kubussen gebruikt en geprobeerd de toeschouwer te dwingen om links de bolle interpretatie (dus kijkend boven op de kubus) en rechts de holle interpretatie blijvend te aanvaarden. De middelste kubus is zowel hol als bol. Het verrassende daarbij is, dat de bolle interpretatie optreedt als je de blik van links naar rechts laat gaan en de holle interpretatie treedt op als de blik van rechts naar links gaat. Daarbij vinden we in de middelste kubus wonderlijke verrassingen.

Opgaven

1. Leg een vel transparant over de afbeelding en probeer de drie kubussen waarop de prent gebouwd is daarop te tekenen.
2. Welke vreemde dingen merk je op in de middelste dubbelzinnige kubus?

M.C. Escher's
"Hol en Bol"

Algemeen wordt aangenomen, dat de Duitse kristallograaf Necker de eerste was die de tweevoudige interpretatie opmerkte. Hij had er last van bij het bekijken van afbeeldingen van kristallen: de voor- en de achterkant van de afbeelding wisselden voortdurend. Hij beschreef dit verschijnsel in 1832.

Minder bekend is dat Euclides (ca 300 v.Chr) dit verschijnsel al aan de orde had gesteld. Euclides schreef verhandelingen over de meest uiteenlopende onderwerpen. Het meest bekend is zijn *Elementen,* het wiskundeboek dat tot ver in de vorige eeuw de basis vormde van het wiskundeonderwijs. Minder bekend is zijn *Optika.* Deze verhandeling gaat niet over spiegels, lenzen en dergelijke, zoals de titel ons suggereert, maar over het zien. Er komt een stelling in voor (nummer 60) waarmee men nooit zo goed raad wist en men nam aan, dat deze tekst door het vele kopiëren verminkt was.

Stelling 60: Als twee elkaar rakende voorwerpen zo gelegen zijn, dat het midden niet op één lijn ligt met de eindpunten, vormen ze soms een holle figuur en soms een bolle.

In alle overgeleverde handschriften komen dezelfde figuurtjes voor.
Na de stelling volgt een soort bewijs, dat niet veel anders is, dan een beschrijving van beide figuren:
"GBD is het bovenaanzicht van twee elkaar rakende vlakken. K is de plaats van het oog. B kan ten opzichte

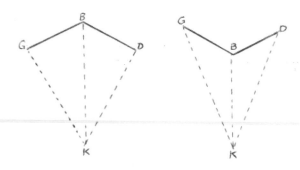

van G en D op twee plaatsen gezien worden. In het eerste geval zien we een hol voorwerp en in het tweede een bol voorwerp". Kan het nog duidelijker!

In de prent *Hol en bol* heeft Escher gezorgd, dat in de twee buitenste kubussen maar één interpretatie mogelijk is. Dat zien we in het dagelijkse leven ook. Escher heeft eens gezegd: "ik kan een kat onmogelijk hol zien." Bekijken we nu echter eens de volgende foto.

Op het eerste gezicht zien we twee verschillende meisjeskoppen. Toch is er maar een, namelijk het maskertje rechts. Maar dat is van binnen (want het is hol) beschilderd met een andere haarkleur etc. En dat holle maskertje zien we nu bol in een spiegel die achter het masker

staat. We kunnen het niet hol zien omdat een gezicht in werkelijkheid nooit hol is en ons brein zou een hol gezicht onzinnig vinden, dus het kiest voor de interpretatie: bol.

Opdracht
Schilder zelf eens een gezicht in een halve notedop en neem het gezichtsbedrog waar.

Kijk ook eens naar de grootte van beide hoofdjes. Het linker in de spiegel is veel kleiner dan het rechter vóór de spiegel.
Dat komt door de weerkaatsing in de vlakke spiegel. Het spiegelbeeld wordt altijd zover achter de spiegel gezien als het voorwerp ervoor staat. Bij de afbeelding van een persoon die zijn gezicht in een spiegel bekijkt, hebben veel schilders het gezicht vrijwel even groot gemaakt als het hoofd van de afgebeelde zelf. Dat is in tegenspraak met de bovengenoemde spiegelstelling. Of dat bewust of onbewust zo gedaan is niet te achterhalen.

Opdracht
Zoek in kunstboeken daarvan een voorbeeld. (Dit is niet zo'n eenvoudige opgave!)

8.2 Hol en bol bij beweging

Een bijzonder effect treedt op als we langs een hol voorwerp (zoals het van binnen beschilderde maskertje in de vorige paragraaf) lopen. Als het bol zou zijn, blijft het gezicht gewoon voor zich uit staren en zien we bij het voorbijgaan steeds meer van de zijkant van het gezicht ... heel normaal! Maar bij het holle maskertje draait het gezicht juist naar ons toe en blijft het ons nakijken. Een heel vreemde ervaring, die door verschillende kunstenaars op verschillende manieren gebruikt is.
De volgende foto's zijn genomen van een hol beeld dat door de Zwitserse kunstenaar Sandro Del Prete gemaakt is.

53

Een verrassende bijkomstigheid is nog, dat het beeld veel sneller naar ons toedraait, dan we gewend zijn bij een normaal bol beeld. We zullen verderop nog zien dat dit een interessant wiskundig probleem oplevert.

De Engelse kunstenaar Patrick Hughes maakt meterslange schilderijen op een ondergrond die zig-zag gevouwen is.

Om de rest van de tekst te begrijpen is het nodig eerst zelf een fascinerende kijkervaring op te doen.

Opdracht

Kopieer de figuur hiernaast zo dat die ongeveer 30 centimeter lang is. Vouw de strook zig-zag, zo dat de evenwijdige lange lijnen naar achteren en de daaraan evenwijdige korte lijnen naar voren komen. Draai de zigzag strook een kwartslag, stel je voor dat je naar flatgebouwen kijkt, en beweeg je hoofd in horizontale richting. Stel je daarbij voor dat je langs de gebouwen loopt. De gebouwen lijken te draaien.

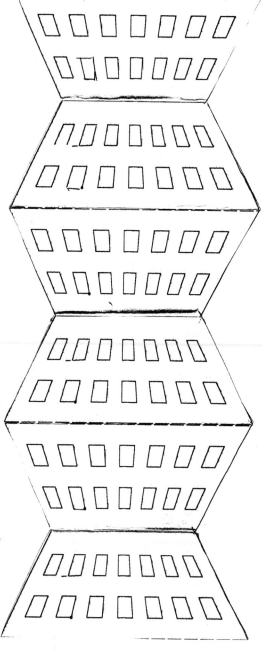

De foto hieronder toont zo'n schilderij, gezien van voren en vanaf de zijkant. Hierbij zie je niet naar voren stekende "vouwlijnen", maar naar voren stekende piramides, met op een top een "verdwijnpunt" dat we juist ver weg zien (vergelijk het maar met de door Euclides geformuleerde stelling 60 en het bijbehorende punt B).

Dit mag de toeschouwer natuurlijk niet zien: zijn brein mag alleen de verkeerde interpretatie toelaten en de andere moet worden uitgeschakeld. Hughes doet dat door zijn panelen antiperspectivisch te beschilderen; evenwijdige lijnen gaan in de verte juist uit elkaar in plaats van naar elkaar toe. En deze aanwijzing kan het brein kennelijk niet negeren. Als je langs de panelen loopt, komt het geheel tot leven. Alle gebouwen en onderdelen ervan draaien op een onverwachte manier en je krijgt de indruk, dat je zelf deel uitmaakt van het schilderij.

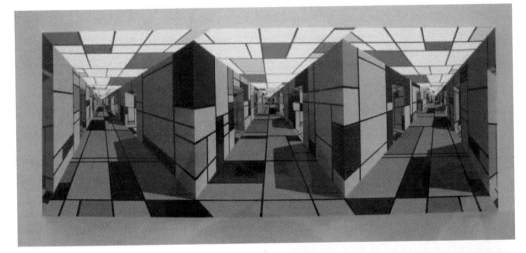

Opdracht
Maak zelf zo'n figuur met antiperspectivische lijnen. (hoe groter de figuur, des te frappanter is het effect).

8.3 Twee maal zo snel!

We hebben er al op gewezen, dat de rotatie van het beeld sneller is bij holle figuren dan bij bolle (bij de schilderijen van Patrick Hughes is dat ook zo).

Met vernuftige opstellingen heeft men ontdekt, dat deze rotatie twee maal zo snel is bij holle figuren dan bij bolle. Dat valt met elementaire meetkunde te bewijzen. Als we je even op weg helpen kan je het bewijs met niet al te veel moeite zelf geven.

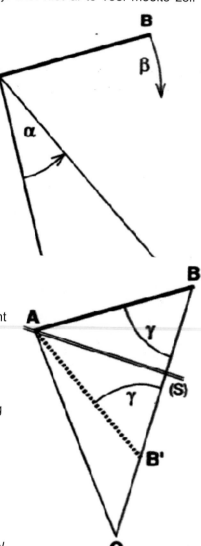

We vereenvoudigen het driedimensionale voorwerp tot een lijnstuk AB, waarbij A dichter bij ons oog ligt dan B. Kijken we vanuit O_1 en verplaatsen we het oog naar O_2 dan draait de gezichtslijn over een hoek α. Dit komt overeen met een rotatie van AB in tegengestelde richting over een hoek β.
Dat is niets bijzonders, we zien dat dagelijks als we langs bijvoorbeeld en gezicht of een bos bloemen lopen.

Bekijken we de volgende figuur:
daar ligt B op de zichtlijn OB. Er zijn echter geen gegevens over de afstand waarop we B' zien. Maar we kiezen het beeld B zo, dat AB' = AB. Dat is niet zo willekeurig als het lijkt. Als we een hol masker bekijken, waarbij de punt van de neus het verste van ons af ligt, zien we een normaal (bol) masker met de punt van de neus het dichtste bij het oog. En dat zonder vervormingen: de neus wordt bijvoorbeeld niet plotseling een heel lange Pinocchio-neus. De laatste aanwijzing voor het bewijs volgt nu. Teken een grote cirkel en op de omtrek A en B (zoals in de bovenste figuur) en O_1 en O_2. Het oog beweegt zich naar rechts, van O_1 naar O_2, en alleen als dat via de cirkelboog gebeurt krijgt de snelheid in de opgave hieronder een vermenigvuldigingsfactor 2. Zou het oog over een rechte lijn lopen, dan is de rotatiesnelheid iets kleiner dan twee.

Opgave
Bewijs nu, dat de rotatie-hoek van AB' twee maal zo groot is als die van AB.
Ofschoon de te gebruiken meetkunde zeer elementair is, zal je er toch nog een behoorlijke puzzel aan hebben. Kom je er echt niet uit, dan kun je het bewijs op de volgende pagina vinden. (Dit is stof voor 5 vwo B.)

Oplossing:

Vanuit O_1 zien we AB als AB', en vanuit O_2 zien we AB als AB''.
In het eerste geval is het beeld van AB over de hoek α gedraaid en in het tweede over de hoek β. We moeten dus bewijzen dat $\beta = 2\alpha$.
Dit gaat als volgt: Omdat A, B, O_1 en O_2 op een cirkel liggen en de driehoeken ABB' en AB''B gelijkbenig zijn, zijn de bijbehorende basishoeken (γ en $\alpha + \gamma$) gelijk.
Daaruit volgt $\delta = 180° - 2(\alpha + \gamma)$ en $\beta + \delta = 180° - 2\gamma$, dus $\delta = 180° - 2\gamma - \beta$.
We concluderen $\delta = 180° - 2(\alpha + \gamma) = 180° - 2\alpha - 2\gamma = 180° - 2\gamma - \beta$.
Dus $\beta = 2\alpha$.

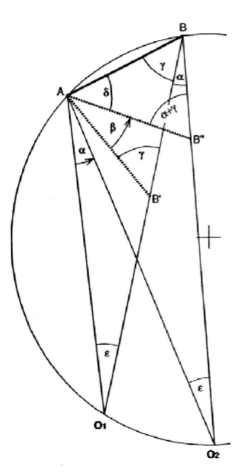

9 Varia

In het laatste hoofdstuk beperken we ons tot het aanreiken van onderwerpen, waarmee de lezer zelf verder op zoek moet naar de bijbehorende informatie. Vooral het internet is daarbij een goede bron.

9.1 Onmogelijke figuren

Spoor afbeeldingen van onmogelijke figuren op. Breng zoveel mogelijk principes voor het maken van een onmogelijke figuur in kaart. Verwerk deze in een zelf ontworpen figuur.

9.2 Variaties met vierkanten

Het werk hiernaast is van Vasarely. Ook bij Frank Stella, Josef Albers en Ad Dekkers zie je veel composities met vierkanten.
Wat is hun eigen bedoeling met het werk? Met welke wiskundige wetmatigheden is het gemaakt?
Maak ook zelf een aantal composities met vierkanten; denk daarbij aan lineaire en exponentiële groei van afmetingen.

9.3 Knopenfiguren en de band van Möbius

Hiernaast zie je een
afbeelding van *Möbiusband*
van Max Bill.
Zoek andere voorbeelden
van topologische figuren of
knopenfiguren in de kunst.
Deze lenen zich goed voor
een begin van wiskundig
onderzoek. Voor de
Möbiusband gaat dat als
volgt: neem een strookje
papier, draai één uiteinde
een halve slag en plak het
aan het andere uiteinde.

Wat gebeurt er als je de band in de lengte doorknipt?
Wat gebeurt er bij knippen op een derde van de breedte?

9.4 Spiralen

Op de foto hiernaast staat
Gyrostasis (1968) van de
kunstenaar Smithson.
Opvallend is de spiraalvorm,
ontstaan door het steeds weer
vergroten van eenzelfde vorm.
Spoor meer kunstvormen met
spiralen op.
Welke soorten spiralen kun je
onderscheiden?
Maak ook zelf een object.

9.5 Het Spidron-systeem

De Spidron is een vlakke figuur die
is opgebouwd uit twee afwisselende
reeksen van gelijkbenige
driehoeken, en die na vouwen langs
de ribben uitzonderlijke ruimtelijke
eigenschappen vertoont.
Zie: http://www.arsetmathesis.nl/

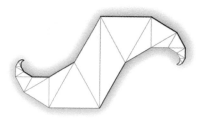

9.6 Roosters en getallen

Elsworth Kelly maakt in 1951 dit schilderij *Seine*.
F.van de Blij geeft in het boekje *Wiskunde met verve* (Wolters Noordhoff, 1999)
nog vele voorbeelden van kunst op een roosterstructuur, waarbij getalpatronen
een grote rol spelen. Hierbij kun je zelf nieuwe varianten bedenken.
Namen van kunstenaars die dit soort ideeën hebben toegepast zijn Albert
Roskam, Gerard Traarbach, Peter Struycken, Francois Morellet.

9.7 Regelmatige veelvlaksvormen

De kunstenaar George W. Hart maakt objecten, waarin regelmatige veelvlakken de onderliggende structuur vormen. Hierbij zie je een leerlinge die zijn kunstwerk *72 Pencils* heeft nagemaakt. Hoe zit dit in elkaar? Kun jij het namaken? Een variant bedenken?

9.8 Twintigvlaks-spanningsbol

Naar het ontwerp van *Tensegrity-Icosaëder* (1949) van de amerikaans architect Fuller bouwden studenten van de Technische Universiteit Twente uit protest tegen het kunstbeleid van de universiteit rond 1975 het object op nevenstaande foto. De kabels volgen de struktuur van de ribben van een regelmatig twintigvlak, en de palen zijn zes diagonalen, die elkaar twee aan twee loodrecht kruisen. De palen lijken in de lucht te zweven. Met stokjes, spijkertjes aan de uiteinden en touw of nylon visdraad kun je dit figuur nabouwen of zelf een nieuwe ontwerpen. Merk voor het nabouwen op dat de palen twee aan twee loodrecht zijn. Als je twee palen rechtop zet, wordt het een stuk eenvoudiger.

9.9 De Toren van Snelson

Kenneth Snelson (1927) breidde de zwevende constructies uit in één richting. Hierdoor werden enorme masten verkregen van buizen, die door strakgespannen kabels "zwevend" gehouden werden. In 1968 bouwde hij Needle (zie foto hiernaast), 28 meter hoog. Deze opzienbarende naaldtoren staat in het Kröller-Muller-museum.

9.10 Escher

Bij wiskunde en kunst kunnen we niet om M.C. Escher heen. Vaak is één prent al voldoende om een flinke tijd zoet te zijn. De volgende vragen kunnen je werk structuur geven.

1. "Wat, wanneer, hoe, waarom, ...?"
    Wat beleef je zelf bij deze prent? Wat is het kernidee van de prent, welke "wiskundige" achtergrond. Welke ontdekkingstocht, onderzoekstocht maakte Escher, welke minder perfecte voorstadia kende deze prent?
    Met welke andere prenten is er een relatie?
    Hoe heeft Escher dit constructief en technisch voor elkaar gekregen?
2. Probeer eens een stukje construerend na te tekenen. Welke moeilijkheden kom je tegen?
3. Maak zelf een totaal andere prent met dezelfde principes, maar een andere context.

Prenten die zich hiervoor goed lenen zijn: *Boven en onder, Trappenhuis, Draak, Prententententoonstelling, Metamorfosen, Relativiteit, Hol en bol, Belvedère, Waterval, Klimmen en dalen, Vierkantenlimiet, Cirkellimiet, Draaikolken*

9.11 En nog meer

Natuurlijk is er nog veel meer.
Zie bijvoorbeeld andere boekjes uit de Zebrareeks:

Martin Kindt en Peter Boon: *De veelzijdigheid van bollen*
Agnes Verweij en Martin Kindt: *Perspectief hoe moet je dat zien*
Wim Kleijne en Ton Konings: *De Gulden Snede*

Ook kun je zelf op zoek naar "Wiskunst", bijvoorbeeld bij de volgende stromingen in de kunst: conceptuele kunst, minimale kunst, surrealisme, computerkunst, computergraphics.
Surfend over het internet zul je zien hoeveel er is. Of je er zelf iets mee kunt is vaak niet zo eenvoudig te beoordelen. Maak daartoe een plan en leg dat voor aan je begeleider.
Twee sites om mee te beginnen:

http://www.arsetmathesis.nl/
http://www.digischool.nl/wi/pr2.php?onderwerp=wiskunde-kunst

Bronnen van illustraties

Pag.	
5	www.allposters.com
7	www.arsetmathesis.nl
8-10	illustraties Bruno Ernst, artikel in Arthesis, blad stichting Ars et Mathesis, jaargang 20 no 1
11	Roelofs: www.arsetmathesis.nl
11	Bill: www.novaplein.nl
12	Somfai: www.arsetmathesis.nl
12	Sol LeWitt: www.bi-info.de/Bielefeld/freizeit/skulptur/hrzl7.htm
14	Bonies: www.arsetmathesis.nl
14	Daumier: scan uit *Beeld en verbeelding*, Irvin Rock, uitgave Natuur en techniek, 1984
15	Piramide: www.sameens.dia.uned.es
15	Kandinsky: www.florssalvatges.net
17	Newman: www.tate.org.uk
19	Seurat: www.artunframed.com
20	foto's Ton Konings

21	Dali: www.canvasreplicas.com
23	Le Corbusier: www.odin.let.rug.nl
24	www.infovis.net
25	scan uit: Le Corbusier, *The modulor, Faber and Faber*, London, 1954
26	scan aanzichtkaart Benedictijner Abdij Mamelis
27	scan uit *Plastisch Lexicon*, Hilde de haan, Ids Haagsma, architect, Haarlem, 1996
27	foto Ton Konings
28	foto's Jan Katier
29	foto's Hans Krabbendam
30, 32, 34	foto's Ton Konings
37	scan uit: *Papier*, Franz Zeier, Haupt verlag , Bern, 1974
40	Dibbets: www.synesthesie.nl
40	Beever: www.linux.blogweb.de
41	scan uit *Anamorfosen*, F.Leeman, Landshoff, Koln, 1975
42	plaatjes uit jongerentijdschrift Pythagoras, ongeveer 1980
45-47	foto's Bruno Ernst
48, 49	scans uit *Bomen van Pythagoras*, Bruno Ernst, Aramith, Amsterdam, 1985
51	M.C. Escher, *Hol en Bol* (afbeelding van www.arsetmathesis.nl) © 2007 The M.C. Escher Company B.V. - Baarn - Holland. Alle rechten voorbehouden. www.mcescher.nl
52-55	foto's Bruno Ernst en Ton Konings
58	onmogelijk figuur, plaatje uit oud nummer Pythagoras
58	Vasarely www.profile.myspace.com
59	Max Bill www.cndp.fr
59	Smithson www.smcm.edu
60	www.arsetmathesis.nl
60	Kelly, scan uit *Wiskunde met verve*, F. van der Blij, Wolters Noordhoff, 1999
61	foto's Ton Konings
61	scan uit *Moderne Wiskunde* havo B2 deel 2, 1999 (in boek staat: Vincent Wilke)
62	Snelson www.kennethsnelson.net